Caperucita Roja

Adolfo Serra

narval

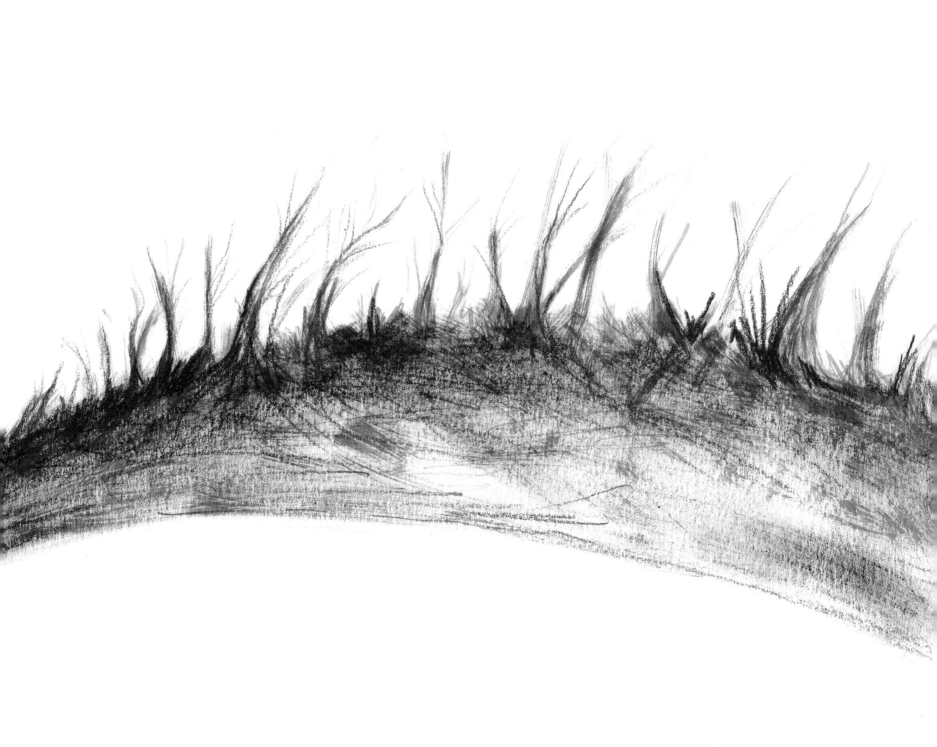

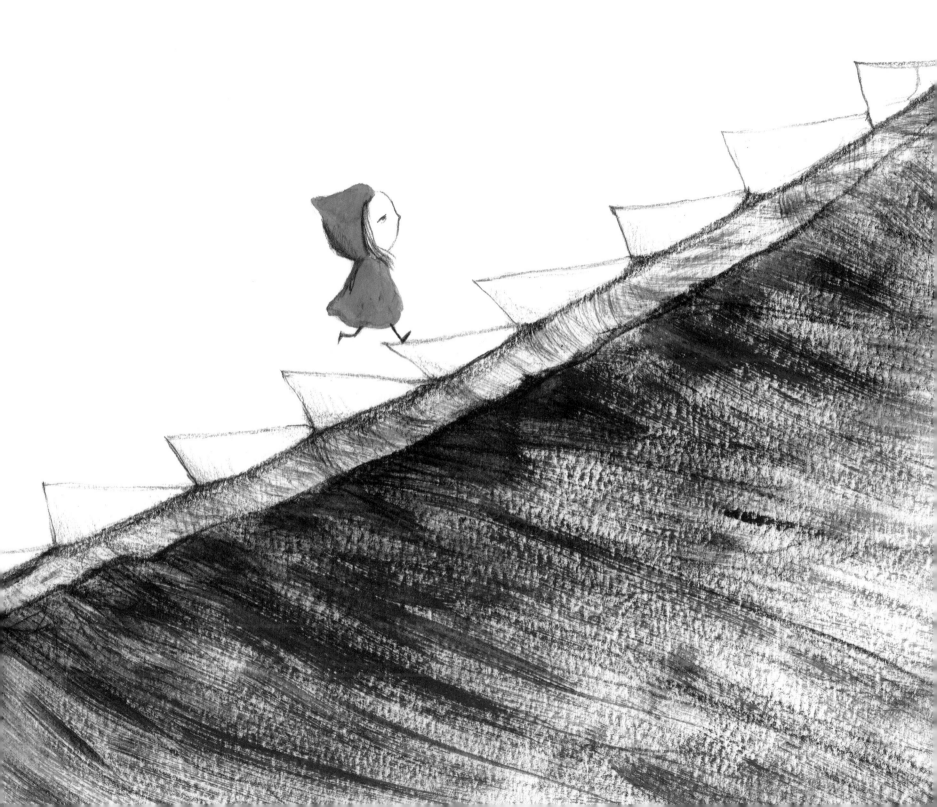

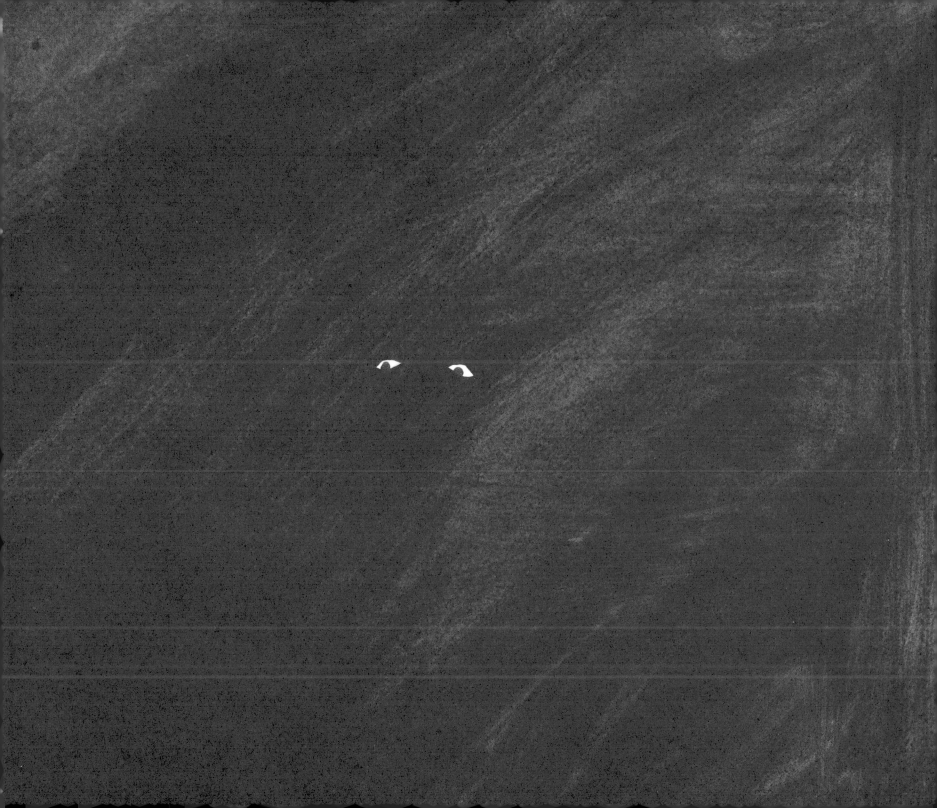

Para Blanca,
que aún no conoce al lobo
pero ya sabe cómo espantarlo

A. S.

Primera edición: marzo 2011
Primera reimpresión: abril 2011
© de las ilustraciones: Adolfo Serra, 2011
© de esta edición: Narval Editores, 2011
Revisión de Raquel Martínez

info@narvaleditores.com
www.narvaleditores.com

ISBN: 978-84-938293-8-4
DL: M-17485-2011

IMPRESIÓN: Elece Industria Gráfica, S.L.